MIS PRIMERAS PÁGINAS

Título original: *La mucca Moka e la panna montata*

Impreso el mes de febrero de 2009

ISBN: 978-84-9270-234-3
Depósito legal: B-10606-2009
Impresión: GRABASA
Printed in Spain

LA VACA SARA Y LA NATA MONTADA

Agostino Traini

LA VACA SARA
SABE PREPARAR
CHOCOLATE CALIENTE.

EL CHOCOLATE CALIENTE
DE SARA ESTÁ RIQUÍSIMO.

LO PREPARA CON CACAO,
AZÚCAR Y SU LECHE
AROMÁTICA DE FLORES
DE MONTAÑA.

cacao
azúcar

SARA Y LA TAZA TINA
LEEN UN LIBRO DE COCINA.

EN EL LIBRO HAY
UNA FOTO DE UNA TAZA
DE CHOCOLATE.

TINA LE DICE A SARA:
«¡ENCIMA DEL CHOCOLATE
HAY UNA NUBECITA!».

«ES VERDAD», DICE SARA,
«¡YO TAMBIÉN QUIERO
PONÉRSELA!»

LA VACA SARA SUBE
A LA MONTAÑA MÁS ALTA.

LA CABRA ROSALÍA VIVE
EN LA CIMA DE LA MONTAÑA.

SARA Y ROSALÍA RECOGEN
MUCHAS NUBES.

LAS NUBES SON BLANCAS
Y SUAVES COMO
ALGODONES.

SARA Y ROSALÍA
VUELVEN CORRIENDO
AL VALLE.

SARA PREPARA
CHOCOLATE CALIENTE
Y ENCIMA LE PONE
TROCITOS DE NUBE.

TODOS PROTESTAN
DICIENDO: «¡ESTA NATA
NO SABE A NADA!».

SARA ESTÁ TRISTE.
¡HA CONFUNDIDO LAS NUBES
CON LA NATA!

SARA NO SABE HACER
NATA MONTADA.

SARA QUIERE APRENDER
A HACER NATA MONTADA.

ENTONCES COGE EL TREN
HACIA LA CIUDAD Y SE
DESPIDE DE ROSALÍA:
«¡CUANDO VUELVA SABRÉ
HACER NATA MONTADA!».

ROSALÍA SONRÍE Y DICE:
«¡DE ESO ESTOY SEGURA,
SARA!».

SARA LLEGA A LA CIUDAD
Y PASA CORRIENDO POR
DELANTE DE LA ESCUELA
DEL CHOCOLATE CALIENTE.

EL MAESTRO GOLOSO
LA SALUDA Y LE DICE:
«HOLA, SARA, ¿QUÉ HACES
EN LA CIUDAD?».

«HOLA, GOLOSO,
¡HE VENIDO A ESTUDIAR
LA NATA MONTADA!».

SARA RECORRE TODA
LA CIUDAD Y AL FINAL
LLEGA DELANTE DE UN
EDIFICIO DE COLOR ROSA.

«¡POR FIN, AQUÍ ESTÁ
LA ESCUELA DE LA NATA
MONTADA!», DICE SARA.

ESCUELA

SARA SE MATRICULA
ENSEGUIDA EN LA ESCUELA.

EN LA CLASE DE SARA
HAY MUCHOS ALUMNOS
SIMPÁTICOS.

EL MAESTRO DICE:
«LA NATA MONTADA SE HACE
CON LA BATIDORA. ¡TENÉIS
QUE PRACTICAR MUCHO!».

«¡QUÉ DIFÍCIL!»,
PIENSA SARA.

SARA Y LOS DEMÁS
ALUMNOS ESTUDIAN
CON MUCHO INTERÉS.

PRUEBA Y VUELVE
A PROBAR,
Y LA NATA MONTADA
EMPIEZA A SUBIR.

«MUY BIEN»,
DICE EL MAESTRO,
«¡SEGUID ASÍ!»

SARA PIENSA:
«¡ESTUDIAR CON ILUSIÓN
ES MUY IMPORTANTE!».

A FINAL DE CURSO HAY
UN EXAMEN MUY DIFÍCIL.

SARA PREPARA UN BOL
DE NATA MONTADA DELANTE
DE CINCO MAESTROS.

LOS MAESTROS PRUEBAN
LA NATA Y DICEN:
«¡ESTÁ DELICIOSA,
MUY SUAVE, PERFECTA!».

LOS MAESTROS LE DAN
UN DIPLOMA Y UN GORRO
DE COCINERO MUY ALTO.

SARA, MUY CONTENTA,
COGE EL TREN
Y REGRESA A LA MONTAÑA.

EN LA ESTACIÓN
RECIBEN A SARA
CON MUCHA ALEGRÍA.

«¡MIRAD EL DIPLOMA!»,
DICE SARA.

«¡QUEREMOS MERENDAR!»,
DICEN TODOS A CORO.

¡Viva
la nata
montada!
DIPLOMA

SARA SE PONE
ENSEGUIDA A TRABAJAR.

¡QUÉ BIEN HUELE
EL CHOCOLATE CALIENTE!

LUEGO, SARA PREPARA
LA NATA MONTADA
Y LA PONE SOBRE
EL CHOCOLATE.

¡QUÉ RICO!
TODOS SE CHUPAN
LOS DEDOS.

Está prohibido
chupar los dedos de los demás.

...¡Y AHORA, A JUGAR!

SARA QUIERE IR A LA ESCUELA DE LA NATA MONTADA.

AYÚDALA A ENCONTRAR EL CAMINO.

BUSCA LAS OCHO DIFERENCIAS.

DESPUÉS, ACABA DE PINTARLO CON LOS MISMOS COLORES.

BUSCA EN LAS PÁGINAS DEL LIBRO TODOS ESTOS DETALLES.

ORDENA EL CUENTO DE LA VACA SARA Y LA NATA MONTADA

ESCRIBIENDO LOS NÚMEROS DEL 1 AL 12 DEBAJO DE LAS VIÑETAS.

MIS PRIMERAS PÁGINAS

1 LA VACA SARA, Agostino Traini
2 SAMANTA DA UN PASEO, Francesco Altan
3 EL PATO RENATO, Donatella Chiarenza
4 TINO VA AL COLEGIO, Francesco Altan
5 EL ÁRBOL PRESUMIDO, Nicoletta Costa
6 LAS OLIMPIADAS EN EL ESTANQUE, Silvia Vignale
7 ¡BUENAS NOCHES, TICO!, Silvia Vignale
8 LAS ESTACIONES EN EL ESTANQUE, Silvia Vignale
9 SAMANTA COGE EL TREN, Francesco Altan
10 EL ÁRBOL JUAN, Nicoletta Costa
11 CHIQUITA SE ENAMORA, Silvia Vignale
12 CLARA, CLAUDIA Y CARLA, Raffaella Bolaffio
13 UN CONCIERTO PARA LA NUBE OLGA, Nicoletta Costa
14 LA VACA SARA Y LA NATA MONTADA, Agostino Traini
15 TINO VISITA AL ABUELO, Francesco Altan
16 LA NUBE OLGA Y LA NIEVE, Nicoletta Costa
17 LA VACA SARA Y LA TORMENTA DE NIEVE, Agostino Traini
18 CELESTINO, Febe Sillani
19 LA VACA SARA Y EL OTOÑO, Agostino Traini
20 CELESTINO Y EL MONO, Febe Sillani